GERTRUDE DORDOR • BENJAMI

LE JOURNAL D'HENRI
1939-1945

Belin
Jeunesse

Le mot du maire d'Évreux

Je me souviendrai toujours du témoignage de mes parents qui ont connu la guerre, l'exode et l'Occupation… Rien ne pourra l'effacer. Il reste aujourd'hui essentiel de transmettre aux jeunes générations la mémoire de cette période à jamais douloureuse.

C'est l'ambition du *Journal d'Henri*, qui restitue les grandes pages de l'histoire de notre pays et de notre ville d'Évreux pendant la Seconde Guerre mondiale.

Je remercie vivement Gertrude Dordor, issue d'une vieille famille ébroïcienne, pour ce livre qui contribuera à faire découvrir l'histoire de notre ville aux jeunes lecteurs. Je suis sûr qu'ils suivront avec curiosité et intérêt le parcours du petit Henri, devenu « l'homme de la famille » au départ de son père pour la guerre. Un garçon qui veut croire, le 8 mai 1945, que cette guerre était bien la dernière.

GUY LEFRAND, *maire d'Évreux*

Le mot de l'auteure

Le jour où mes petits-enfants m'ont posé des questions sur la Seconde Guerre mondiale, je me suis tournée vers mon grand frère Henri.

Quand la guerre a commencé, il avait huit ans. Notre famille habitait alors à Évreux, une petite ville de Normandie. Leur vie a basculé lorsque notre père est parti au front...

Étonnée par la vivacité des souvenirs de mon frère et bouleversée par l'émotion qu'ils suscitaient chez lui, j'ai décidé d'écrire son histoire. J'ai longuement discuté avec lui, avec ses amis et avec des habitants d'Évreux ayant vécu à cette période. Je me suis plongée dans les lettres que mon père avait écrites à ma mère pendant sa mobilisation, puis sa captivité.

Forte de tous ces témoignages, j'ai pu faire revivre ces années noires.

Certains se reconnaîtront dans cette histoire même si leurs noms ont été modifiés, et je tiens à les remercier pour leurs précieuses contributions.

GERTRUDE DORDOR

Samedi 2 septembre 1939, à Évreux

Jamais je n'oublierai cette terrible journée! Elle avait pourtant bien commencé. Il faisait beau et j'ai pris mon petit-déjeuner dans le jardin.

Ensuite, j'ai retrouvé Mamé pour lui réciter mes tables d'addition. J'adore ma grand-mère, mais elle est très sévère : même pendant les grandes vacances, je dois faire des devoirs! Ce matin, j'avais tout bon et j'ai pu aller jouer avec mon petit frère Michel. On allait commencer notre partie de billes, quand le facteur est passé. Je me suis levé d'un bond : les jours où il n'y a pas école, c'est moi qui vais chercher le courrier!

Dans la boîte aux lettres, il y avait une grande enveloppe avec le drapeau français. Je l'ai saisie en tremblant et j'ai couru dans le bureau de Papa. À sa tête, j'ai compris que c'était la mauvaise nouvelle qu'il redoutait. Depuis des semaines, tout le monde parle de la guerre...

« J'ai reçu ma mobilisation », a-t-il annoncé à Maman en la prenant dans ses bras. Puis il m'a expliqué qu'il devait partir à l'armée, que tous les hommes allaient être appelés sous les drapeaux: mes oncles Pierre et Yves, mon cousin Jean qui vient d'avoir vingt ans et les pères de mes copains. Maman s'est efforcée de sourire: « Quand Papa sera parti, tu seras l'homme de la maison », m'a-t-elle dit.

Dimanche 3 septembre 1939

Je me suis réveillé tôt pour accompagner Maman, Papa et Michel à la petite messe de 8 heures. Comme ça, après, j'avais du temps pour lire mes illustrés. En ce moment, je suis plongé dans les aventures de Tintin. Mais je n'ai pas été tranquille longtemps...

Mamé est revenue de la grand-messe tout essoufflée, en appelant Maman à grands cris. Je ne l'avais jamais

vue dans cet état. J'ai lâché mon livre pour aller chercher Maman, mais elle dévalait déjà l'escalier avec Françoise à son cou et notre bonne, Jeannette, derrière elle.

« L'armée allemande a envahi la Pologne! Edmond va devoir se battre », a lancé Mamé d'une traite. Donc ça y est, la France a déclaré la guerre à l'Allemagne.

J'ai essayé de finir mon Tintin, mais impossible de me concentrer. J'imaginais déjà Papa au milieu des chars et des canons. J'ai tellement peur qu'il ne revienne jamais, comme grand-père qui est mort pendant la Grande Guerre de 14*.

Lundi 4 septembre 1939

Maman se fait beaucoup de soucis depuis qu'on sait que Papa va rejoindre son régiment. Elle devra le remplacer à son cabinet d'assurances : c'est elle qui rendra visite aux clients ! Heureusement, la secrétaire de Papa reste à son poste, elle aidera Maman et tout sera presque pareil, m'a rassuré Mamé.

Cet après-midi, Papa a préparé sa valise. Maman avait lavé et repassé son linge, rassemblé ses affaires de toilette, dont un matériel de rasage tout neuf, car Papa adore être rasé de près.

Ça me donnait le cafard, alors j'ai retrouvé Michel et notre petite sœur Françoise dans la salle de jeux. Ils ont de la chance, ils ne se rendent pas compte de ce qui se passe. J'ai dit à Michel que j'allais devenir le chef de famille. Mais ça ne lui a fait aucun effet !

Tout à l'heure, Maman a pris le volant pour conduire Papa à la gare.

---

* La Première Guerre mondiale (1914 – 1918).

J'ai failli pleurer quand il est monté dans la voiture, mais je me suis retenu pour montrer l'exemple à Michel et Françoise. Ils agitaient les petits drapeaux en papier qu'on a fabriqués avec Mamé. Ça les amusait beaucoup.

Quand Maman est revenue de la gare, elle m'a serré dans ses bras très fort sans rien dire. Je crois qu'elle avait pleuré.

Dimanche 10 septembre 1939

Pour la première fois, on est allés à la messe sans Papa. Michel a demandé quand il allait revenir et Maman a répondu qu'il devait faire son devoir, que ça serait un peu long. Françoise aussi avait l'air triste.

Pour nous distraire, Maman nous a tous emmenés au jardin public. On a fait de la balançoire et du toboggan, mais je me suis planté une grosse écharde dans le pouce ! Après on est allés se promener dans la serre tropicale. Ça nous a bien changé les idées.

De retour à la maison, Maman nous a préparé un gratin de pâtes. Avant le départ de Papa, Michel, Françoise et moi, on prenait nos repas ensemble à la cuisine. Mais ce midi, Maman m'a demandé de déjeuner avec elle et Mamé dans la salle à manger. Je suis vraiment fier d'être à la table des grands, sauf que maintenant je suis obligé de terminer mon assiette.

Lundi 11 septembre 1939

Quelle joie ! Le facteur nous a apporté une lettre de Papa. J'ai tout de suite reconnu son écriture. Maman nous a fait la lecture. Il est bien arrivé à Versailles, où il attend de recevoir un uniforme. Ensuite, il partira pour les Ardennes. J'ai regardé où c'était dans mon atlas : tout près de l'Allemagne ! J'étais super content d'avoir des nouvelles de Papa, mais je ne suis pas très rassuré de le savoir si loin.

Depuis son départ, rien n'a vraiment changé. Quand je demande à Maman ce qui va se passer, elle me répond

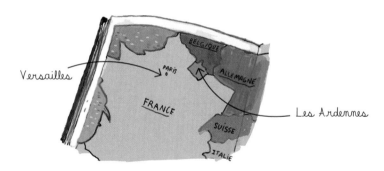

qu'elle ne sait pas, que je ne dois pas penser à tout ça. Facile à dire ! Chaque fois qu'elle rend visite aux clients de Papa, je guette son retour.

Mardi 12 septembre 1939

Trois mois de grandes vacances, c'est long ! J'ai hâte de retourner en classe. J'en ai assez de jouer avec Michel, on finit par se disputer. Jeannette l'a bien vu et elle m'a proposé de l'accompagner à la ferme de Cambolle, où elle va chercher le lait. C'est ici qu'habite mon copain Jean Latour.

J'adore cette balade. On longe la rivière et je m'amuse à faire des ricochets et à repérer les brochets. Papa m'a promis qu'il m'emmènerait à la pêche quand il sera de retour. Finalement, Jean n'était pas chez lui, mais c'était quand même un super après-midi.

Lundi 2 octobre 1939

J'ai fait ma rentrée chez les neuvièmes* ! J'ai retrouvé mes copains de l'an dernier. Quand la cloche a sonné, on n'avait pas fini de tout se raconter, mais on a dû se mettre en rang par deux pour rejoindre notre classe.

Notre maître est monsieur Guilbert. Il est très sévère. Le pauvre Ernest a déjà été réprimandé parce qu'il n'avait pas son tablier.

---

* Classe qui correspond au CE2.

S'il l'oublie encore, il devra recopier cinquante fois : « Je dois apporter mon tablier en classe. » Ce soir, j'ai fait bien attention en préparant mes affaires !

Mardi 3 octobre 1939

Comme chaque mardi, on a eu une dictée. C'était un texte de Victor Hugo. On n'entendait que le grattement des plumes sur nos cahiers quand Jean-François a fait tomber son encrier ! Le maître était très en colère. En attendant que la dame de ménage nettoie, il nous a demandé comment ça se passait chez nous depuis la déclaration de guerre.

Jean a dit que, dans sa ferme, c'était vraiment compliqué. Son père est parti le même jour que le mien. Sa mère a dû trouver un gars pour le remplacer, et c'est l'horreur car il n'y connaît rien. Il paraît qu'il regarde sur un plan pour savoir s'il est devant un champ de patates ou de petits pois ! Ça nous a bien fait rire.

Mercredi 4 octobre 1939

Après l'appel, Jean a levé la main : « On nous a dit que c'était la guerre, mais on n'a toujours pas vu d'Allemands ! » Puis Christian Lombard a lancé : « Mon père, il est officier, et ça fait déjà deux ans qu'il travaille à Paris au Deuxième Bureau. » C'est un service de renseignements, un peu comme de l'espionnage, nous a expliqué monsieur Guilbert.

Devant nos mines inquiètes, il a ajouté que la France était prête à nous défendre si les Allemands attaquaient et qu'on était protégés par la ligne Maginot. Ce sont les fortifications qui ont été construites après la guerre de 14, car personne ne voulait que ça recommence. Le maître a pris sa grande règle en fer pour nous montrer son tracé sur la carte de France. Elle va de Dunkerque à Nice, et tout du long il y a des forts et de gros canons. On était tous impressionnés !

Pendant la récréation, on a inventé un nouveau jeu : défendre la ligne Maginot. Évidemment, personne ne voulait faire les Allemands, alors on a tiré au sort en jouant aux osselets. Et c'est tombé sur Ernest et Jean.

Jeudi 5 octobre 1939

Cet après-midi, je suis allé chez ma copine Marie-Anne Berlivet. J'avais hâte de lui raconter mes premiers jours de classe et de savoir comment ça s'était passé pour elle à l'école des filles*. Mais j'étais à peine arrivé qu'elle m'a entraîné dans la cave. Elle voulait à tout prix me montrer un truc. Je me suis retrouvé face à des espèces de têtes molles, kaki, avec deux gros yeux de verre et un nez carré tout dur. «Ce sont des masques à gaz!» m'a-t-elle dit. Les soldats en portaient déjà pendant la guerre de 14 pour se protéger du gaz moutarde que les Allemands envoyaient dans les tranchées pour les

---

* Les filles et les garçons étaient alors dans des écoles différentes.

asphyxier. Quelle horreur ! Il faut que j'en parle à Maman. Nous aussi, on doit se protéger.

Quand on est remontés dans le salon, la petite sœur de Marie-Anne m'a montré son bracelet d'identité avec son nom gravé dessus : Martine Berlivet. C'est une sorte de gourmette en métal très moche. Leur père en a fait faire pour toute la famille. « Si on est séparés ou si nos parents meurent, les gens sauront comment on s'appelle », m'a expliqué Marie-Anne. Moi, j'ai trouvé ça plutôt angoissant… En attendant, Marie-Anne et Martine, elles ont de la chance parce que leur père est là : il est chirurgien et est mobilisé dans son hôpital.

Jeudi 21 décembre 1939

Après le repas, Maman nous a lu la dernière lettre de Papa. Au village où se trouve son régiment, il a fait – 25 °C ! Le pauvre n'a pas assez de chaussettes en laine !

Au début, il a habité chez de braves gens qui lui ont prêté la chambre de leur fils envoyé sur un autre front. Mais il y a eu des changements. Maintenant, il dort sur le canapé du bureau de sa Compagnie et il a dû acheter une cuvette en toile pour se laver et se raser. Ça n'a pas l'air d'être facile, mais il s'entend bien avec ses camarades, et pour l'instant tout est calme.

Les Allemands restent de l'autre côté de la frontière et à part quelques vols de reconnaissance, il ne se passe rien.

Maman nous dit qu'on doit être aussi courageux que Papa. Je vois bien qu'elle se fait beaucoup de soucis pour lui, et aussi pour Françoise qui ne parle toujours pas alors qu'elle vient de fêter ses deux ans.

Samedi 23 décembre 1939

Premier jour des vacances de Noël! Cet après-midi, j'ai accompagné Mamé faire des courses, mais ce n'était pas très marrant, car les boutiques étaient presque vides: les usines fonctionnent au ralenti depuis que les hommes sont partis à la guerre.

Lundi 25 décembre 1939

C'était triste ce Noël sans Papa.

On n'est pas allés à la messe de minuit, car Maman ne voulait pas sortir seule le soir. On a tout de même eu des cadeaux: Michel a reçu un camion de pompiers, Françoise un baigneur en celluloïd et moi un jeu de petits chevaux. Ce n'est pas ce que j'avais demandé, mais comme dit Mamé quinze fois par jour: il faut savoir faire des sacrifices!

Au dessert, Maman nous a fait une belle surprise: elle a apporté sa bûche au chocolat avec des meringues en forme de champignons! On a aussi eu droit à une orange chacun. Qu'est-ce que c'était bon!

Mardi 2 janvier 1940

Finies les vacances de Noël! Je suis retourné à l'école. À la récré, personne n'a pensé à échanger ses billes ou à sortir les ballons, on n'a fait que discuter de la guerre. Chacun raconte ce qu'il sait ou ce qu'il a entendu. Jean-François nous a appris que Thionville, une ville près de l'Allemagne, a été évacuée. Les habitants ont dû partir de chez eux pour ne pas risquer de recevoir des bombes sur la tête. « Donc les Fritz vont bientôt frapper », a-t-il ajouté très sûr de lui. (Boches, Fritz... on ne manque pas de surnoms insultants pour désigner les Allemands!) Christian a rétorqué que c'était des bobards. Son père est là-bas et il n'a rien vu de tout ça. Il dit que les gens racontent n'importe quoi et qu'il faut se méfier de la propagande et des rumeurs. Mes copains en rajoutaient à qui mieux mieux. Avec tout ça, on ne sait plus qui croire.

Dimanche 4 février 1940

Après-demain, c'est Mardi gras. Maman m'a dit d'inviter quelques copains à manger des crêpes. Ils vont venir déguisés. J'ai demandé à Mamé un costume de pâtissier et elle va fabriquer une toque en papier crépon.

Vendredi 23 février 1940

Il y a eu de la bagarre à la récréation. Christian a traité Jean-François de « planqué » parce que son père a été réformé. Les autorités militaires ne l'ont pas jugé apte à partir au combat et c'est vrai que personne n'a compris pourquoi. Mais Christian y est allé fort... Un peu plus et ça se terminait avec un œil au beurre noir. Heureusement, la cloche a sonné et tout le monde a dû se calmer.

Jeudi 21 mars 1940

Marie-Anne est venue à la maison pour m'aider à préparer Pâques. Jeannette a fait cuire des œufs durs et nous les avons décorés.

C'est bizarre. On continue à vivre presque comme avant. Il n'y a pas de combats. C'est la « drôle de guerre », comme on dit : les armées attendent.

Dans ses lettres, Papa nous raconte tout de même des trucs incroyables : par exemple, un avant-poste de l'armée a été installé dans une gare. La journée, ce sont les Français qui l'occupent. La nuit, ce sont les Boches. Les soldats s'arrangent pour ne pas se croiser, mais ils entretiennent le feu pour que personne n'ait froid ! Et Christian m'a raconté que, dans le régiment de son père, les hommes vont chercher des poulets et des lapins dans les villages qui ont été évacués. Ça veut dire qu'il y a des animaux qui sont tout seuls dans des fermes abandonnées ?

Samedi 20 avril 1940

Le ravitaillement sur le front n'est pas suffisant, alors Maman envoie à Papa du savon, de la charcuterie et même du beurre en conserve.

Comme nous aussi, on manque de tout, Maman a décidé qu'on allait faire pousser des légumes ! Elle a demandé au jardinier des Berlivet de retourner un carré de pelouse pour qu'on puisse semer. Cela m'amuse beaucoup et je rêve à mes futures récoltes.

Samedi 27 avril 1940

Aujourd'hui, on a accueilli ma tante Élisabeth et mes cousines Henriette et Maryvonne. Elles sont venues chez nous, car dans leur ville d'Hirson, près de la frontière belge, la vie est devenue un enfer.

Toutes les nuits, elles étaient réveillées par des canonnades et par les avions qui volaient si bas que les murs des chambres en tremblaient. Moi aussi, j'aurais eu la trouille, mais je ne l'ai pas dit. Leur trajet jusqu'à Évreux a été interminable. Leur voiture, une Juva 4, n'avançait pas tant il y avait de réfugiés sur les routes.

Les plus chanceux voyageaient dans des voitures bourrées de nourriture, de vêtements et de bidons d'essence avec parfois un matelas sur le toit! D'autres étaient grimpés sur des carrioles tirées par des chevaux, et qui traînaient des vaches en laisse. Beaucoup marchaient avec des poussettes où s'entassaient toutes leurs affaires. Henriette a même vu une grand-mère assise dans une brouette!

Jeudi 2 mai 1940

Depuis que la Pologne a capitulé après avoir été envahie par l'Allemagne, tout le monde pense qu'il va se passer la même chose avec les Pays-Bas et la Belgique. C'est la panique! Cela fait huit jours qu'on voit défiler des gens affolés et épuisés dans les rues d'Évreux. Des familles entières fuient le Nord pour s'éloigner le plus possible des zones

qui risquent d'être bombardées. Hier, Maman a accueilli des réfugiés belges à la maison pour qu'ils reprennent des forces avant de poursuivre leur route. Elle a installé deux familles au premier étage des dépendances. Le jardin est devenu un vrai camping entre le linge qui sèche, les matelas étalés par terre et les bébés qui piaillent.

Jeudi 9 mai 1940

Cet après-midi, Marie-Anne est venue à la maison et on s'est installés dans l'ancienne écurie pour tenir notre réunion du jeudi. Comme elle passe son temps à écouter aux portes, Marie-Anne apprend des tas de trucs. Moi, j'ai essayé de faire pareil, mais Mamé finit toujours par m'envoyer dehors.

Ma cousine Henriette était notre invitée spéciale. Marie-Anne a pris ses airs de grande personne pour nous annoncer

que la guerre va vraiment commencer : les Boches vont lancer un déluge de bombes pour terroriser les gens, mais on n'a rien à craindre car les Français vont riposter et que les volontaires de la Défense passive, dont son père fait partie, protègent tous les civils. Ça, elle ne loupe jamais une occasion de me le rappeler.

Samedi 11 mai 1940

Ce matin, le gros titre du journal d'Évreux était : « La grande offensive allemande est déclenchée. » Le sous-titre expliquait que la Hollande et le Luxembourg ont été envahis et que la Belgique demandait l'assistance de nos Alliés anglais. On dirait que la « drôle de guerre » se termine et que la vraie guerre commence.

Mercredi 15 mai 1940

On redoute de plus en plus les bombardements. Partout dans les rues, les affiches de la Défense passive donnent des conseils et indiquent où il faut se réfugier en cas d'alerte. La nuit, tous les réverbères sont éteints, car la moindre lumière serait un repère pour les avions allemands. À la maison, il faut aussi faire très attention : le soir, j'aide Jeannette à fermer les volets, les rideaux et à calfeutrer les fenêtres avec de vieux chiffons roulés en boudin. Je me demande comment ça se passera quand on entendra la sirène sonner l'alerte pour la première fois. Marie-Anne a beau répéter qu'avec la ligne Maginot, les Allemands n'entreront jamais en France, moi je me dis que si la Défense passive a été inventée, c'est bien parce qu'on craint quelque chose.

Dimanche 26 mai 1940

Je suis resté collé à la grille du jardin toute la journée pour regarder les gens passer devant chez nous. Ils sont de plus en plus nombreux. Il y a des familles, des vieux et même des mamans seules avec des bébés.

Samedi 8 juin 1940

Papa a écrit à Maman que les Allemands vont bientôt entrer dans Paris. Il nous dit qu'il faut vite partir d'Évreux, avant que les combats aériens ne commencent, d'autant plus qu'on habite à côté de la gendarmerie, qui sera une des premières cibles. Nous allons quitter notre maison sans savoir où nous allons, comme tous ces pauvres gens que je vois chaque jour !

Dimanche 9 juin 1940

Après la messe, Maman a commencé à préparer nos bagages. Elle a rempli deux valises de vêtements. Je me demande pourquoi elle a pris des gilets de laine, il fait si chaud. Dans une malle en métal, Jeannette a entassé de la vaisselle, des conserves, du riz, des pâtes et du sucre. Puis elle est allée chercher les deux gros bidons d'essence qui étaient dans le garage pour les mettre dans le coffre de la voiture. Michel a pleuré parce qu'on n'a droit qu'à un seul jouet. Moi, j'ai pris mon vieil ours en peluche et mon journal, bien sûr.

On était sur le point de partir, quand on a entendu comme des coups de tonnerre. Il faisait si chaud que cela ne nous a pas surpris. Mais soudain, les grondements sont devenus assourdissants, les vitres se sont mises à tinter, une sirène s'est déclenchée. C'était une alerte !

Il fallait vite se réfugier à la cave. Tante Élisabeth nous a crié de filer en bas.

J'ai pris la main d'Henriette pour me donner du courage parce que j'ai peur du noir. Maman a foncé à l'étage chercher Françoise qui faisait la sieste et tante Élisabeth a empoigné Maryvonne qui pleurnichait. Jeannette tordait son tablier en répétant : « J'ai peur, j'ai peur ! », ce qui a mis Mamé en colère. Elle fait tellement d'efforts pour qu'on ne soit pas effrayés.

Une fois dans la cave, on s'est serrés les uns contre les autres dans le couloir central. Je me suis accroupi en fermant les yeux, ma tête entre les mains pour me boucher les oreilles tellement le boucan était fort.

Puis je me suis blotti contre Mamé qui récitait des prières.

Les vrombissements ont redoublé. Ça canardait partout, la maison tremblait, des carreaux explosaient. C'est alors que Maman a hurlé : « Michel ! » Il n'était pas descendu avec nous ! Quand elle a voulu partir le chercher, Mamé l'a retenue par sa jupe. Maman s'est rassise en pleurant. L'alerte n'en finissait pas, c'était affreux.

Un fracas encore plus terrifiant, qui venait du caveau de la chaudière, nous a tous fait sursauter. Un nuage de poussière de brique et de charbon a envahi le couloir. Françoise s'est mise à tousser. Moi aussi, j'étouffais.

Par le soupirail, je voyais des morceaux d'ardoise tomber du toit. Puis le ronronnement des avions a diminué, ça s'est calmé peu à peu, mais était-ce vraiment fini?

Quand Mamé s'est levée, de la poudre noire est tombée de sa jupe. Elle a ouvert la bouche et, au lieu de mots, c'est de la poussière qui en est sortie. Nos visages étaient sales et on tremblait comme s'il faisait froid. Maman s'est précipitée dehors et elle a retrouvé Michel à côté de la Juva 4 de tante Élisabeth. Quel soulagement! La voiture l'avait protégé. Mais le pauvre était si effrayé qu'il sautait en l'air comme un cabri et claquait des dents.

Puis on a découvert le mur du salon effondré! De l'autre côté de la cour, c'était encore pire: à la place du poulailler, il n'y avait plus qu'un amas de briques et de poutres. De la cendre grise montait des ruines comme du brouillard et ça piquait les yeux.

Alors finalement, je suis bien soulagé qu'on s'en aille demain, même si je suis triste de quitter Jeannette qui part vers le Sud avec ses parents, ainsi que ma tante et mes cousines qui vont rejoindre de la famille en Bretagne.

Lundi 10 juin 1940, près de Damville

Nous voilà partis ! Tôt ce matin, nous sommes tous montés dans notre Peugeot. Mais la route était si encombrée qu'on s'est traînés comme des escargots. À la nuit tombée, on n'avait parcouru que vingt kilomètres ! La journée a été fatigante, mais on a trouvé une ferme où dormir. On s'est allongés sur de la paille juste au-dessus de l'étable. C'était drôle !

Mardi 11 juin 1940, à Marchainville

Cette nuit, on va dormir dans une école ! Le maire du village a dit qu'il ne pouvait pas laisser une famille à la rue. Comme il n'y a pas de garage, Maman est restée dans la voiture pour qu'on ne nous la vole pas. Michel, Françoise et moi, on s'est installés dans une classe avec Mamé.

Mercredi 12 juin 1940, à Baugé

Il y a toujours beaucoup de monde sur les routes. En plus, on doit sans cesse s'arrêter à cause des alertes. Dès que des

avions foncent sur nous en piqué, on sort de la Peugeot en vitesse et on va se mettre à l'abri dans un fossé ou sous un arbre. Ce sont les bombardiers de la Luftwaffe, l'armée de l'air allemande, qui cherchent à terrifier tout le monde. Cette nuit, on a trouvé refuge dans une église !

Jeudi 13 juin 1940, à Crazannes

J'ai eu bien du mal à m'endormir hier soir sur les bancs tout durs de l'église. J'ai pensé à la maison et à mes lapins. Juste avant notre départ, Maman m'avait demandé d'ouvrir les clapiers. Comme on ne sait pas quand on reviendra, c'est mieux de les laisser en liberté. J'espère qu'ils n'ont pas trop peur et qu'ils trouvent à manger.

Aujourd'hui, on a un peu mieux roulé, même s'il y a encore eu un grand moment de panique. Comme d'habitude, les avions sont arrivés d'un coup, séparés en escadrilles. Ils ont foncé sur les gens couchés par terre et ont lâché leurs bombes et leurs torpilles. Ça criait autour de nous. Quand on est repartis, j'ai bien vu que certains ne bougeaient plus. Il y avait une vieille dame qui pleurait en regardant son pied à moitié arraché. Moi, j'ai eu tellement la frousse que, je l'avoue, j'ai fait pipi dans ma culotte.

On a repris la route. Juste avant la nuit, on est arrivés à Crazannes, un petit village au bord de la Charente, où vivent les Landrin, un couple de fermiers que notre médecin de famille connaît bien. Maman a décrété qu'on n'irait pas plus loin. De toute façon, on n'avait plus rien à manger… La mère Landrin nous a prêté une chambre. C'est la première fois qu'on va se coucher dans un vrai lit depuis une semaine ! Mamé et Maman vont dormir ensemble, Françoise aura un petit coffre rien que pour elle, et Michel et moi, on va se partager le divan. On se mettra tête-bêche. S'il gigote trop, je lui ferai des chatouilles !

Vendredi 14 juin 1940

Qu'est-ce qu'on a bien dormi ! Ici, tout est calme. Mais le père Landrin, ça l'inquiète : ces derniers temps, il ne voit plus d'avions français dans le ciel…

Lundi 17 juin 1940

Il paraît que le président de la République et ses ministres se sont réfugiés à Bordeaux, peut-être pour ne pas voir les Allemands qui sont entrés dans Paris.

Maman râle parce que les infos arrivent au compte-gouttes. Et surtout, on n'a plus de nouvelles de Papa.

Ma seule consolation, c'est qu'ici on vit presque normalement. J'ai même le droit d'aller chercher le pain tout seul à l'épicerie !

Samedi 22 juin 1940

À midi, Maman, Mamé et les Landrin se retrouvent pour écouter la TSF*.

Tout à coup, je les ai entendus crier : « La guerre est finie ! » J'ai accouru, fou de joie. Si les combats s'arrêtent, Papa va revenir. Mais quand je suis entré dans la cuisine, ils avaient tous l'air grave. Je n'y comprenais rien !

Le maréchal Pétain** a demandé l'armistice. Ça veut dire que les combats vont s'arrêter mais que la France est vaincue, m'a expliqué Maman qui avait l'air très triste. Désormais, Hitler, le chef des Allemands, et son horrible parti nazi décident de tout.

---

* La Télégraphie Sans Fil est l'ancêtre du poste de radio.
** Le maréchal Pétain est le nouveau chef du gouvernement français.

Mercredi 26 juin 1940

À partir de maintenant, la France est coupée en deux par une frontière qu'on appelle la ligne de démarcation : au Nord, c'est la zone occupée par les Allemands, au Sud, c'est la zone libre.

Comme nous sommes dans la zone occupée, nous allons devoir obéir aux Boches ! Quand j'ai proposé qu'on parte s'installer dans le Sud, Mamé m'a expliqué que ce n'était pas si simple : on n'a pas le droit de franchir la ligne de démarcation. Si tante Élisabeth et mes cousines sont bien arrivées en Bretagne, ça veut dire qu'elles aussi doivent obéir aux Allemands...

Jeudi 4 juillet 1940

Cet après-midi, Michel et moi, on a aidé le père Landrin à changer les vaches de pâture et on lui a apporté les bidons pour la traite. Pour nous remercier, il nous a versé un verre de lait tout frais. C'était bon !

Après, on a fabriqué des hameçons pour pêcher dans la mare. On n'a pas pris de poissons, mais j'ai attrapé trois têtards. Puis on a aidé Maman et Françoise à ramasser les œufs du poulailler. Michel a cassé un œuf et Françoise a éclaté de rire ! Ça faisait longtemps qu'on ne l'avait pas vue si joyeuse.

Jeudi 25 juillet 1940

Ce matin, Maman nous a annoncé qu'on allait rentrer chez nous ! Je suis presque déçu. On s'amusait bien à la ferme. Et puis les Allemands se sont installés à Évreux, il y a eu plein de bombardements et les pillards sont partout. Ça me fait peur. Dans quel état on va retrouver notre maison ?

Mardi 13 août 1940, à La Bazoge

Sur le chemin du retour, on s'est arrêtés quelques jours chez tante Marie. Moi, j'aurais préféré qu'on rentre tout de suite. Mais Mamé et Maman étaient tellement contentes de revoir des gens de la famille. Pendant le dîner, Maman a demandé pourquoi notre cousin Jacques n'était pas là. Tante Marie s'est levée pour fermer toutes les portes de la salle à manger, puis elle a murmuré : « Il a disparu. » Elle a raconté que le 18 juin, Jacques avait entendu le général de Gaulle à la BBC*. Il appelait tous ceux qui refusent la victoire de l'Allemagne à rejoindre la Résistance, un mouvement de lutte clandestine. Ma tante est persuadée que son fils a répondu à l'appel du général, et elle est très fière de lui. « Il n'a que dix-sept ans et il ne veut pas vivre sous la botte des Allemands », elle a conclu avec des larmes aux yeux. Moi, je me dis que mon cousin Jacques, il est sacrément courageux.

---

* La BBC est la radio anglaise qui diffusait « Radio Londres ».

Samedi 17 août 1940

Ce voyage de retour est affreux. Les routes sont toutes défoncées par des trous d'obus, on traverse des villages en ruines et quelle puanteur : partout, il y a des corps qui n'ont pas été enterrés, des animaux morts… J'ai hâte de retrouver notre maison. Mais je vois bien que plus on approche, plus Maman est soucieuse.

Lundi 19 août 1940, à Évreux

« Ça y est, nous sommes à Évreux ! » Quand Mamé a dit ça, je n'arrivais pas à la croire. Je ne reconnaissais rien ! La gare était une montagne de pierres et de carreaux cassés. Dans la descente de la route de Paris, tant de maisons s'étaient effondrées que la voiture passait difficilement entre les gravats. Maman et Mamé ne disaient pas un mot. Moi, je n'ai pas pu m'empêcher de pleurer. Quand on est enfin arrivés dans notre rue, j'ai été soulagé de voir notre maison encore debout. Maman a garé la Peugeot le long du trottoir, un peu avant l'entrée.

J'étais prêt à bondir de la voiture, mais Mamé m'a retenu : « il y a peut-être des pillards, il faut être prudent ». Tout d'un coup, j'ai eu très mal au ventre. Maman est descendue, elle a saisi un bout de bois qui traînait, et elle s'est avancée tout doucement.

Elle est vite revenue en nous disant qu'il n'y avait personne. On est rentrés et là, quel choc : toutes les portes étaient ouvertes, les tiroirs renversés, les placards vidés. On marchait sur notre vaisselle en miettes. Mais on était chez nous et j'allais dormir dans mon lit.

Mardi 20 août 1940

Ce matin, Mamé m'a emmené faire des courses. J'étais complètement perdu. La cathédrale s'est à moitié écroulée, sa tour a disparu. Dans le centre-ville, toutes les maisons ont été détruites. À la place de la boulangerie des Jolivet, il y a une espèce de baraque en planches, et la boutique de Nouveautés n'est plus qu'un tas de briques et de bouts de bois. Où Maman va-t-elle trouver nos tabliers d'école pour la rentrée ?

La mairie est encore debout, mais elle est occupée par les Allemands. Au premier étage, sur le balcon du bureau du maire, j'ai vu flotter un immense drapeau noir et rouge avec une croix gammée. C'est le drapeau de l'Allemagne nazie ! Ça m'a fait froid dans le dos. Quand reverra-t-on le nôtre ?

Mercredi 21 août 1940

Je suis parti seul chercher du pain à la baraque des Jolivet en passant par la rue Dubais. Et là, qu'est-ce que je vois devant chez le docteur Bouvier ? Un autre drapeau nazi ! Sa maison, qui est juste derrière notre jardin, a été réquisitionnée pour servir de bureau aux Allemands : c'est devenu la Kommandantur. Depuis, le docteur dort dans sa clinique et sa famille est partie à la campagne.

Mardi 27 août 1940

Mamé est rentrée très en colère du marché. Elle n'arrêtait pas de crier : « Ces soldats nazis sont des barbares ! » Quand elle a enfin retrouvé son calme, elle nous a raconté que des feldgendarmes* sont entrés de force dans la bibliothèque municipale. Ils se sont emparés de dizaines de livres qu'ils ont entassés dans la cour pour y mettre le feu. La pauvre bibliothécaire n'en croyait pas ses yeux.

---

* Les soldats allemands chargés de maintenir l'ordre.

Vendredi 6 septembre 1940

On a enfin eu des nouvelles de Papa ! Une carte de la Croix-Rouge de Genève prévient Maman qu'il est prisonnier. C'est horrible de le savoir aux mains des Allemands, mais au moins il est en vie. Ce soir, je me suis privé de dessert. J'espère que le Bon Dieu verra mes sacrifices et qu'il s'arrangera pour que Papa soit vite libéré.

Jeudi 12 septembre 1940

Tout devient de plus en plus compliqué. Les magasins n'ont vraiment plus rien à vendre. Il faut aller chercher des tickets d'alimentation à la mairie, puis on fait la queue pour acheter le pain, la viande, l'huile et même les chaussures ou du tissu. On manque de tout.

Cela fait longtemps que Maman ne boit plus de café après le déjeuner. Désormais, elle suit la combine de la mère de Jean : elle fait griller des grains d'orge dans une poêle, puis elle les passe dans son moulin à café. Elle dit que c'est presque pareil, mais elle fait la grimace quand elle boit.

Mardi 17 septembre 1940

Toutes les nuits, les bombardiers allemands décollent de la base aérienne et nous cassent les oreilles. Leurs

grondements donnent des frissons. Chaque fois, Françoise se réfugie dans le lit de Maman en pleurant, et Michel se précipite dans la chambre de Mamé. Maman m'a expliqué que tous ces avions vont lâcher leurs bombes sur Londres pour terroriser les Anglais.

Samedi 28 septembre 1940

Hier, Jeannette est revenue à la maison ! Sa famille n'a pas réussi à partir vers le Sud. Quand ils ont voulu franchir la Seine, c'était trop tard : le pont avait sauté ! Il ne leur restait plus qu'à rebrousser chemin. Dès cet après-midi, Jeannette et moi, on a repris nos habitudes : on est allés chercher du lait à la ferme de Cambolle et j'ai pu voir mon copain Jean.

Pour lui, l'été n'a pas été amusant. Jusqu'à la fin août, il est resté avec ses sœurs chez ses grands-parents dans un tout petit village qui s'appelle Roncheville.

Ils n'avaient pas de jouets, pas de livres et pas de copains. Le matin, ils commençaient par une dictée, puis ils devaient épousseter les meubles et les escaliers. L'après-midi, ils marchaient jusqu'à une petite chapelle pour réciter des prières.

On peut dire que leur grand-mère n'est pas une rigolote ! Heureusement, leur grand-père les emmenait parfois à la pêche.

Mardi 1er octobre 1940

Ce matin, c'était la rentrée des classes. Je suis en huitième*, mon nouveau maître s'appelle monsieur Dutronc et au-dessus de son bureau est accroché un portrait du maréchal Pétain. Il a l'air drôlement vieux.

D'habitude, je suis content de retourner à l'école, mais là c'était vraiment bizarre. Certains de mes copains sont restés à la campagne. D'autres sont morts, ensevelis sous leur maison lors des bombardements du mois de juin. Maintenant, c'est vraiment la guerre…

---

* Classe qui correspond au CM1.

Samedi 5 octobre 1940

Avant de distribuer nos carnets de notes de la semaine, monsieur Dutronc nous a demandé de raconter où nous étions pendant la débâcle. C'est comme ça qu'on a appelé le grand mouvement de fuite du mois de juin. C'était si humiliant de partir sur les routes en laissant tout derrière nous.

Bertrand Regnard a pris la parole le premier. Ce fameux dimanche du 9 juin, son père avait trouvé refuge dans les grottes de la colline Saint-Michel pendant les bombardements. Lorsqu'il est revenu le lendemain, il ne restait rien de leur boucherie ni de leur appartement. Dans les gravats, il a retrouvé ses couteaux, sa balance et un ours en peluche. Quand toute sa famille est rentrée à la fin août, sa mère a pleuré en voyant la ville dévastée, et son père gueulait : « Arrête de te plaindre ! Moi, je suis vivant, alors que notre commis, on ne sait même pas où il est. » Bertrand a imité la grosse voix de son père qui roule les « r », alors ça nous a fait rire même si c'était horrible. Depuis, le maire a réquisitionné pour eux une maison abandonnée et son père a installé la boucherie dans un garage qu'on lui a prêté. Les Regnard ont vraiment tout perdu... Maintenant, chez eux, un camembert pourri avec des vers dessus, ça ne se jette pas ! La grand-mère gratte la croûte avec un couteau et saupoudre de la biscotte par-dessus pour qu'il ait l'air mangeable. Bertrand nous a juré que c'était très bon !

Jeudi 17 octobre 1940

J'ai retrouvé Marie-Anne! C'est la première fois qu'on se revoit depuis que je suis revenu de Crazannes et qu'elle est rentrée de chez ses cousins en Auvergne. Elle m'a accompagné avec Jeannette chercher du lait à la ferme de Cambolle. On a appris que les nazis ont raté l'invasion de l'Angleterre. Ça nous redonne de l'espoir. Du coup, on n'a pas vu passer les deux kilomètres de l'aller.

Le retour était beaucoup moins drôle: nos bidons étaient si lourds qu'on a failli renverser du lait.

J'ai raconté à Marie-Anne ce qui était arrivé à Papa. Dans sa dernière lettre, il écrit qu'il a été conduit avec plein d'autres soldats prisonniers dans un camp de travail en Autriche. Ça s'appelle un stalag. Il fait très froid là-bas, et il a demandé qu'on lui envoie des tricots de corps, des pulls et même un passe-montagne. Je devine qu'il doit être malheureux, même s'il ne dit rien à cause de la censure. Mamé m'a expliqué que les gardiens du camp lisent le courrier des prisonniers et qu'ils ne doivent raconter que des choses sans importance. De retour dans le centre-ville, on est passés devant le Palais de justice, où trois soldats allemands montaient la garde. Marie-Anne s'est mise à chanter *La Marseillaise* à tue-tête en les regardant droit dans les yeux! Ce qui est absolument interdit! J'étais soufflé, mais aussi soulagé que les soldats ne disent rien.

Jeudi 31 octobre 1940

Cette fois, c'est moi qui suis allé chez Marie-Anne. Elle m'a raconté toutes les choses incroyables qui sont arrivées à son père à Évreux, pendant qu'elle était réfugiée en Auvergne avec sa mère et sa petite sœur. Au moment des bombardements, l'hôpital de son père a déménagé sur la colline Saint-Michel. De là-haut, il a assisté au triste spectacle d'Évreux en flammes. Pendant cinq jours, la ville a brûlé parce qu'il n'y avait plus d'eau ni de pompiers. Depuis la salle d'opération, il voyait même des étincelles et des flammes s'échapper des gargouilles de la cathédrale: c'était le toit de plomb qui fondait sous la chaleur. Puis son père a reçu l'ordre de rejoindre d'autres médecins à l'hôpital d'Agen, juste avant la ligne de démarcation. Comme sa femme avait pris la voiture, il ne lui restait que son vélo. Il a donc pédalé pendant sept cents kilomètres pour arriver là-bas!

Mercredi 25 décembre 1940

J'attendais Noël avec impatience, même si c'est un nouveau Noël sans Papa.

À cause du couvre-feu, la messe de minuit était à 6 heures du soir! Dans l'église, j'avais du mal à me concentrer car j'avais les doigts gelés, et puis je pensais au cadeau que j'espérais: une maison en bois à construire soi-même, comme celle de Jean!

Quand on est rentrés, le poêle à bois s'était éteint. Je me suis dépêché d'aller chercher des bûches pour le recharger. Mais on a quand même dîné avec nos manteaux sur le dos tellement il faisait froid! À la fin du repas, Michel et moi, on a couru dans le salon pour déballer nos paquets. Devant mes chaussures, il n'y avait qu'une petite boîte en carton. J'ai ouvert et j'ai découvert un mini-marteau, un tournevis et des clous.

C'était ça, mon cadeau? J'étais vexé: Maman me prend toujours pour un petit garçon, alors que j'ai tout de même neuf ans et demi ! J'ai essayé de ne rien montrer, et je l'ai embrassée pour la remercier.

Lundi 3 février 1941

Cette nuit, il a tellement neigé que les poteaux électriques se sont effondrés ! Mais la température est remontée, il ne fait plus - 15 °C comme en janvier. À l'école, l'encre qui avait gelé dans nos encriers est redevenue liquide et le maître en a profité pour nous coller une dictée. Après, il nous a laissé une longue récré pour qu'on ne grelotte pas en classe. On s'est bien défoulés dans la neige !

Vendredi 21 février 1941

Les magasins sont toujours vides, et moi, j'ai tout le temps faim ! Alors Maman invente plein de trucs bourratifs. À midi, elle nous a servi des espèces de galettes grillées en nous disant que c'était des biftecks sans viande ! Une fois qu'on a tout dévoré, elle nous a dévoilé son secret : c'était tout simplement de la crème de lait et de la farine. Jean m'a dit qu'à Paris c'était encore plus difficile de trouver à manger. Les gens font la queue avec leurs tickets d'alimentation pendant des heures, et souvent il ne reste rien quand arrive leur tour. La semaine dernière, sa mère et sa sœur y sont allées pour voir leur tante. Elles sont parties avec des bagages bourrés de poulets, de patates, de beurre et d'œufs. Mais dans une bousculade à la gare, sa sœur a lâché sa valise et tous les œufs ont été cassés ! Ça nous a bien fait rire, même si la pauvre s'est pris une sacrée taloche.

Puis Jean m'a donné un conseil : si tu prends le train, ne t'installe surtout pas dans le wagon de tête. Il paraît que c'est toujours celui qui est visé par les bombardiers de la Luftwaffe.

Mardi 4 mars 1941

Avant l'école, Michel et moi, on a accompagné Mamé à l'épicerie de la mère Madeline. Dès 7 heures, on a rejoint la queue dans la nuit. On était loin d'être tout seuls ! Impassible, Mamé a ouvert une chaise pliante et nous a fait réviser nos conjugaisons. Bizarrement, elle ne reprenait pas mon frère quand il se trompait. Soudain, je l'ai vu éponger son front en

sueur, alors qu'il faisait vraiment froid. La seconde d'après, patatras, elle est tombée sur le trottoir! Michel s'est mis à pleurer, et moi j'ai bêtement crié: «Maman!» Une dame s'est approchée, a tapoté les joues de Mamé qui a repris connaissance, et lui a donné un morceau de sucre.

Pauvre Mamé! Depuis que Maman remplace Papa dans son cabinet, elle s'occupe de nous tout le temps. En plus, à table, elle me donne souvent sa part.

Jeudi 20 mars 1941

Marie-Anne était encore bouleversée quand je suis allée la voir. Hier soir, trois feldgendarmes ont sonné chez elle, tout ça parce que la bonne qui nettoyait le bureau de son père avait oublié le couvre-feu: elle avait laissé la lumière allumée et les fenêtres ouvertes.

Les soldats sont entrés avec leur mitraillette et leur énorme chien, et ils ont dit que la prochaine fois ils tireraient.

Dimanche 13 avril 1941

Ce matin, quand on est allés à la messe, Maman m'a pris à part. J'ai demandé à Michel de tenir la main de Françoise, car depuis les bombardements le moindre bruit l'effraie. Elle vient de fêter ses trois ans et elle ne parle toujours pas. Maman les a laissés aller devant. Puis elle m'a dit qu'elle avait reçu une nouvelle carte de la Croix-Rouge : on lui annonce que Papa n'est plus prisonnier des Allemands.

Quelle joie ! Elle a ajouté que Papa est très malade. Mais je suis tellement heureux de le savoir libre que ce n'est pas grave. On le soignera bien et il guérira. J'allais crier : « Papa va revenir ! », quand Maman a mis sa main sur ma bouche. Elle veut attendre de connaître la date exacte de son retour avant d'en parler à Michel et Françoise.

Moi, j'étais doublement heureux : mon papa allait rentrer à la maison, et Maman m'avait confié un secret !

Lundi 21 avril 1941

Sur le chemin de l'école, j'ai vu des affiches terribles. Trois résistants sont condamnés à mort : ils vont être fusillés. Il n'y a pas que les soldats qui meurent.

Lundi 5 mai 1941

Ça y est, on sait quand Papa va rentrer : dans dix jours ! C'est terrible parce que je ne peux toujours rien dire à Michel et Françoise, au cas où il y aurait un changement. Moi, je ne pense qu'à ça. Je me suis fabriqué un petit calendrier où je coche les jours avant de m'endormir.

Mardi 13 mai 1941

Demain, c'est le retour de Papa. On l'a enfin annoncé à Michel : ça l'a tout chamboulé, il s'est mis à pleurer !

Mercredi 14 mai 1941

Juste après le petit-déjeuner, Maman est partie chercher Papa à la gare. Michel, Françoise et moi, nous guettions leur

retour derrière la fenêtre de la cuisine. Qu'est-ce qu'on était excités ! Mamé s'était retirée dans le salon, et je voyais bien qu'elle faisait semblant de lire ! Quand la voiture s'est garée devant le portail, on s'est précipités dehors. Mais on s'est arrêtés net quand on a vu un drôle de monsieur très maigre et sans cheveux sortir de la Peugeot. Il a levé les yeux vers nous et il a souri. Là, je l'ai reconnu. J'ai répété à Françoise : « C'est Papa ! C'est Papa ! » J'avais peur qu'elle se mette à pleurer, mais elle a couru dans ses bras et elle a dit : « Gentil mon Papa. » C'était ses premiers mots ! On s'est tous mis à rire et à s'embrasser.

Mercredi 21 mai 1941

Voilà une semaine que Papa est rentré. Je suis si content qu'il soit revenu, mais ça me fait bizarre aussi. Il n'est plus comme avant. Il a toujours l'air malheureux. J'ai entendu ma grand-mère dire qu'il enrageait de ne pas se battre. Mais comment pourrait-il être sur le front, alors qu'il tient à peine debout ?

Mercredi 4 juin 1941

J'en ai marre : des privations, des tickets d'alimentation et surtout des Allemands. Même si certains ont l'air gentils. Tout à l'heure, quand je me promenais avec Françoise, un soldat nous a donné des bonbons en disant : « Dans mon pays, j'ai une petite fille qui a l'âge de ta sœur. » Je n'ai pas osé lui dire merci, parce que la mère Madeline est passée à côté de nous en marmonnant : « Sales Boches ! » En tout cas, ils semblent invincibles : ils ont déclaré la guerre à la Russie qui était leur alliée jusque-là.

Lundi 23 juin 1941

Bertrand et moi, on a croisé un défilé d'Allemands. Ils chantaient *Heidi Heido* parfaitement alignés. Moi, ça me fiche la trouille, mais Bertrand, ça l'amuse ! Il les a imités en train de faire leur pas de l'oie ridicule. Heureusement, ils ne nous ont pas vus !

Lundi 14 juillet 1941

C'est la fête nationale… mais on n'a pas le droit de la célébrer, ni de chanter *La Marseillaise*!

J'ai peur qu'un jour on nous dise qu'on est Allemands. Pour me redonner du courage, Maman m'a montré notre drapeau qu'elle a roulé avec soin: « Ne t'inquiète pas, on le sortira bientôt. »

Jeudi 31 juillet 1941

Je profite des vacances pour m'occuper de mon potager. Les bombardements de l'été dernier ont fait d'horribles dégâts. Françoise m'a aidé à retirer tous les morceaux de brique et d'ardoise qui sont tombés au milieu des plants.

Lundi 11 août 1941

Je m'ennuie! Dire qu'il reste encore un mois et demi de vacances… Vivement la rentrée!

Tout à l'heure, j'ai essayé le manteau que Maman est en train de me coudre. Je n'ai pas osé lui dire que je le trouvais moche. Elle a déniché un vieux bout de rideau au grenier. Cela fait bien longtemps qu'il n'y a plus de tissu chez Dralux. Quand elle a vu ma tête, Jeannette m'a promis de le teindre. Elle est vraiment gentille, notre Jeannette.

Mardi 16 septembre 1941

Après le dîner, je suis allé à la chasse aux doryphores. Pas question de laisser ces horribles petites bêtes grignoter nos patates ! Avec une feuille de magnolia bien rigide, j'ai fait glisser les larves dans une boîte de conserve vide. J'ai fait attention à ne pas les toucher, car elles sont toutes gluantes. Puis je les ai apportées à Jeannette qui les a mises au feu. Ouf ! Nos pommes de terre vont pouvoir pousser tranquilles !

Lundi 6 octobre 1941

Voilà une semaine qu'on a repris le chemin de l'école. Je suis en septième*. Ce matin, notre instituteur, monsieur Forest, nous a fait chanter : « Maréchal, nous voilà, tu nous as redonné l'espérance… » Derrière moi, Christian rouspétait car il ne voulait pas chanter. À la récréation, on nous a distribué les fameux biscuits du maréchal Pétain. Ils ne sont pas très bons mais j'ai tellement faim que je suis content.

Dimanche 26 octobre 1941

Papa a décidé que j'étais assez grand pour comprendre tout ce qui se passe. Pour la première fois, il m'a emmené dans le cagibi à côté de son bureau, où il m'a montré sa

---

* Classe qui correspond au CM2.

grande carte de l'Europe qu'il appelle « le théâtre des opéra-tions ». Il punaise des petits drapeaux noirs là où sont les Allemands. C'est terrible, il y en a plein ! Papa m'a demandé de n'en parler à personne. Il faut se méfier des gens qui pourraient nous dénoncer : il y a des mauvais Français qui veulent la victoire de l'Allemagne.

Dimanche 9 novembre 1941

Chaque soir, Papa capte en cachette la BBC, la seule radio qui donne les vraies nouvelles. Et maintenant, j'ai le droit de venir l'écouter avec lui, ce qui rend Michel très jaloux !

Comme les Allemands punissent ceux qui l'écoutent et font tout pour brouiller les ondes, il faut bien fermer la porte et coller notre oreille contre le poste.

Aujourd'hui, une grande nouvelle a été annoncée: les États-Unis ont déclaré la guerre aux Japonais, qui se battent avec les nazis, parce qu'ils ont attaqué leur marine dans l'océan Pacifique. Désormais, les Américains sont nos alliés contre l'Allemagne!

Jeudi 25 décembre 1941

Encore un Noël de guerre. On est tous ensemble mais ce n'est pas gai. On manque de tout, on a l'impression que ça ne finira jamais…

J'ai beaucoup grandi ces derniers mois et j'ai l'air ridicule avec mon vieux pull dont les manches m'arrivent aux coudes. Que faire? On ne trouve plus de laine nulle part! Mamé a tout de même eu pitié de moi. Elle a détricoté un de ses gilets pour me faire un nouveau pull à ma taille.

Jeudi 1er janvier 1942

Maman m'a dit que j'allais avoir un petit frère ou une petite sœur cet été! Je suis très content mais ce bébé qui va naître pendant que les Boches occupent la France, cela me fait peur. Sera-t-il allemand?

Lundi 16 mars 1942

Maman est souvent fatiguée. Heureusement, depuis que Michel et Françoise savent qu'elle attend un bébé, ils sont beaucoup plus sages.

Dimanche 5 avril 1942

C'est Pâques ! Mais monsieur le curé a décidé de ne pas sonner les cloches pour protester contre la Gestapo et ses SS. Ces policiers allemands terrorisent tout le monde, ils pourchassent les résistants et les juifs. On entend plein d'horribles histoires d'arrestation.

Mercredi 15 avril 1942

Depuis deux jours, notre copain Joseph n'est pas venu à l'école. Monsieur Forest, notre instituteur, nous a appris qu'il ne viendrait plus. À la récréation, Bertrand nous a dit que c'est parce qu'il est juif, et qu'il s'est enfui en zone libre avec sa famille pour échapper aux persécutions. Le commis de son père, qui est juif aussi, doit porter une étoile jaune sur sa veste pour que les Allemands le repèrent tout de suite.

Mardi 30 juin 1942

C'est le début des grandes vacances. Trois mois sans école et sans copains, ça va être long ! Heureusement que j'ai mon potager ! Je suis si fier d'aider Maman.

Mardi 14 juillet 1942

Mamé a décidé qu'on ne ferait pas de devoirs de vacances car c'est la Fête nationale ! Elle nous a envoyés au jardin avec Jeannette. Papa est venu voir si on jouait bien et nous a dit qu'il ne fallait pas rentrer dans la maison. À l'heure du goûter, Mamé nous a annoncé : « Votre petit frère est né ! Il s'appelle Bruno. » On a sauté de joie et on a eu le droit d'aller le voir.

Vendredi 2 octobre 1942

Pendant l'été, la Luftwaffe s'est installée sur la base aérienne d'Évreux. Depuis, dès qu'un avion français ou allié s'approche, les Allemands allument de puissants projecteurs pour bien viser et ils canardent. On tremble quand on voit dégringoler les parachutistes sous les tirs. Mais maintenant que je suis en sixième (j'ai fait ma rentrée au collège !), j'apprends l'anglais : je pourrai venir en aide aux Anglais ou aux Américains qui tombent près de chez nous.

Mardi 10 novembre 1942

Sur sa grande carte, Papa a punaisé un petit drapeau rouge sur l'Algérie. Ça veut dire que les Alliés y ont débarqué ! À partir de maintenant, des soldats anglais, américains et canadiens viennent à la rescousse des Français d'Afrique du Nord. Dès qu'ils auront traversé la Méditerranée, ils viendront nous sauver, nous aussi !

Mercredi 11 novembre 1942

J'ai onze ans! C'est mon quatrième anniversaire pendant la guerre. Papa m'a fabriqué un garage pour mes voitures!

Jeudi 12 novembre 1942

Les Boches ont décidé d'envahir la zone libre! Ils sont partout en France. Ça veut dire que les juifs qui avaient réussi à franchir la ligne de démarcation vont être piégés! Que vont devenir Joseph et sa famille?

Notre joie de savoir les Alliés en Afrique du Nord est retombée d'un coup.

Dimanche 3 janvier 1943

Une nouvelle année de guerre commence. La seule différence, c'est que nos professeurs ne nous font plus chanter la chanson du maréchal. Sans doute pour protester contre Pétain qui accepte tout ce que veulent les nazis.

Samedi 17 avril 1943

Ce midi, Bertrand et moi, on a aperçu André Lepré, un copain de sa grande sœur. Il portait son béret enfoncé jusqu'aux yeux! Il a brutalement traversé, puis il a pris la première rue à gauche. Bertrand m'a donné un coup de coude et m'a fait signe de me taire : il venait de voir deux feldgendarmes avec leur énorme chien. Ils ont foncé droit sur nous et ont crié qu'on n'était pas sur le bon trottoir. Quelle idiotie de devoir toujours marcher sur le trottoir de droite !

Bertrand m'a raconté qu'André est un gars de la Résistance. L'autre jour, il a failli se faire coincer par les Allemands, en conduisant à Paris deux Américains dont l'avion avait été descendu. Ils voyageaient dans un train bourré de Boches. Pendant le trajet, un sac est tombé sur la tête d'un des Américains et il a failli crier en anglais !

Jeudi 13 mai 1943

Ce matin, Mamé et moi, on est arrivés deux heures plus tard que d'habitude à l'épicerie. La queue était interminable ! Quand notre tour est enfin arrivé, il n'y avait plus de cacao, ni de sucre.

En même temps, ce n'est rien par rapport à ce qui est arrivé à l'oncle de Jean : des voleurs ont attaqué sa laiterie. Ils lui ont volé 1 300 kilos de beurre pour le revendre quatre fois plus cher au marché noir où on peut se ravitailler sans tickets. Évidemment c'est interdit, mais il y a de plus en plus de monde qui fait ça. C'est horrible de profiter du malheur des gens.

Samedi 3 juillet 1943

Ma récolte de radis a été excellente et j'ai fait pousser des haricots ! Ils ont plein de fils, mais comme dit Jeannette : « À la guerre, comme à la guerre ! »

Jeudi 30 septembre 1943

Ce matin, Marie-Anne a accroché son tricot de corps à la fenêtre de sa chambre, signe qu'elle a quelque chose d'important à me dire. Quand je suis arrivé, elle m'a fait jurer de garder son secret. Elle a découvert que son père s'est occupé de deux Américains dont l'avion a été abattu dans le bois de Bosrobert. Un fermier les a cachés dans un grenier en attendant que son père puisse les soigner.

Vendredi 1er octobre 1943

Je suis en classe de cinquième et pour la première fois je vais suivre des cours de physique. Je me demande si ça va me plaire.

Jeudi 21 octobre 1943

J'ai passé l'après-midi à Cambolle. À la ferme des Latour, il y a toujours de quoi manger et la mère de Jean invite plein de monde pour le goûter : les copains de classe, les enfants dont le père est prisonnier en Allemagne… C'est vraiment une chic femme.

Aujourd'hui, il y avait Jean-Pierre, un grand qui est en troisième au collège. Il a pris un gros morceau de pain et il a filé sans même nous adresser la parole. Mais personne n'a rien osé lui dire car il paraît qu'il aide les résistants.

Souvent, il va à pied jusqu'à la plaine de Gauville, à cinq kilomètres de là, pour transmettre un message. Il doit l'apprendre par cœur pour n'avoir aucun papier compromettant sur lui. Si jamais des Allemands l'arrêtent, il risque d'être pris en otage ou d'être fusillé.

Je me demande si je serais capable de faire ça.

La mère de Jean, elle embauche plein de jeunes qui ne veulent plus être à la charge de leur famille mais qui risquent de se faire envoyer au STO, le Service du Travail Obligatoire.

Ça fait plus d'un an que les Boches envoient en Allemagne des jeunes Français pour travailler de force dans leurs champs et leurs usines. Pour ceux qui refusent d'y aller, la ferme de Cambolle est pratique : c'est facile de déguerpir ou de se cacher quand les nazis approchent.

Mercredi 1er décembre 1943

Pauvre Jeannette ! Elle a été réquisitionnée pour faire le ménage à la Kommandantur, là où il y a la Gestapo. Elle est terrorisée.

Je dois faire très attention de ne pas parler de « Radio Londres » devant elle, pour qu'elle ne dise pas un truc qui mette la puce à l'oreille des Allemands.

Lundi 3 janvier 1944

Les résistants sont de plus en plus actifs. Ils n'arrêtent pas de mettre des bâtons dans les roues de l'armée allemande. Hier, ils ont dynamité le pont Eiffel qui enjambe la voie de chemin de fer près de la gare pour couper la ligne Paris-Cherbourg.

Dimanche 6 février 1944

Depuis la fenêtre de ma chambre, j'ai vu les hommes de la Gestapo faire un grand feu avec des meubles ! Et ça les faisait rire. Si le docteur Bouvier savait tout ce qui se passe dans sa maison...

Lundi 6 mars 1944

Notre professeur d'histoire a profité de la leçon sur la guerre des Gaules et la résistance de Vercingétorix pour nous parler à demi-mot de l'avancée des Alliés en Italie. En gros, les Allemands sont plus coriaces que prévu, mais les Américains et les Anglais vont se lancer dans une opération gigantesque en Normandie. Bien sûr, interdiction de parler de tout ça en dehors de la classe !

Mardi 4 avril 1944

Les ondes de « Radio Londres » sont de plus en plus brouillées, sans doute parce que les Allemands craignent un débarquement quelque part. Peut-être même qu'ils commencent à avoir peur de perdre la guerre ? Malgré le tût-tût-tût de la TSF qui nous cassait les oreilles, on a compris que quelque chose d'horrible s'était passé dans le nord de la France, à Ascq. Il y a trois jours, pour se venger de l'attaque d'un de leurs trains chargés de blindés, des SS ont fait fusiller tous les hommes du village qui avaient entre dix-sept et cinquante ans. En tout, il y a eu quatre-vingt-six morts.

Mercredi 5 avril 1944

Tous mes copains étaient au courant du drame d'hier. Bertrand dit que les sabotages sont de plus en plus nombreux. Ça rend fous les Allemands.

Jeudi 27 avril 1944

Depuis quelques jours, tout le monde pense que les Alliés vont arriver en Normandie. Les grands-parents de Marie-Anne habitent près de la mer à Arromanches. Elle m'a raconté que les Allemands ont construit plein de bâtiments en béton le long des plages. Ça s'appelle des blockhaus. Ils sont entourés de barbelés, peuvent résister à des tirs d'aviation et des soldats armés jusqu'aux dents se cachent dedans pour surveiller la mer nuit et jour.

Vendredi 2 juin 1944

En ce moment, il y a tellement d'alertes qu'on dort toujours à la cave. On y a carrément descendu nos matelas, nos édredons et nos polochons. Pour nous distraire, Mamé nous lit *Le Tour du monde en quatre-vingts jours* de Jules Verne. Maintenant, la sirène ne me fait plus peur, et je trouve ça même plutôt excitant parce qu'on sent que le débarquement est tout proche.

Dimanche 4 juin 1944

Mon moment préféré, quand on écoute « Radio Londres », c'est celui des messages personnels. Ils sont si bizarres qu'ils me font rigoler. Mais en vrai, ce sont des messages codés pour prévenir les résistants. Ce soir, le plus marrant était : « Le fantôme n'est pas bavard. » Par moments, on entend plusieurs fois le même. Ces jours-ci, c'est : « Les sanglots longs des violons de l'automne ». C'est le premier vers d'un poème de Verlaine, m'a dit Papa.

Lundi 5 juin 1944

J'ai fait des cauchemars à cause de Bertrand qui m'a raconté des trucs horribles. Et je ne crois pas qu'il a exagéré pour faire son intéressant. Quelqu'un a dénoncé son cousin Maurice qui cachait dans le grenier de sa ferme des aviateurs alliés tombés dans son champ. Les Boches l'ont arrêté. Ils étaient persuadés d'avoir mis la main sur un réseau de la Résistance. Après avoir torturé Maurice pour qu'il parle, ils l'ont pendu.

Mardi 6 juin 1944

On guettait la grande nouvelle, et ça y est ! Le débarquement a eu lieu ce matin à l'aube ! Le message codé qui l'a annoncé sur « Radio Londres » était la suite du fameux poème de Verlaine : « Blessent mon cœur d'une langueur monotone. » Vivement que les Américains arrivent !

Mercredi 7 juin 1944

Depuis hier, des avions alliés lâchent des milliers de petits papiers qui tombent du ciel en virevoltant comme des papillons. Michel et moi, on a couru pour en attraper. Ce sont des avertissements à la population : on nous conseille d'évacuer, car il y aura un déluge de bombes pour empêcher les Allemands de riposter et compliquer leur fuite.

C'est vrai que toutes les nuits, ça canarde et que beaucoup de familles fichent le camp. Mais pas nous ! Ni les Latour, car le père de Jean ne veut pas abandonner sa ferme et ses animaux. Par précaution, il a tout de même envoyé sa famille et ses ouvriers agricoles se réfugier dans la grotte de la colline Saint-Michel, là où tout le quartier de Cambolle va se mettre à l'abri. Jean m'a raconté que sa sœur râle parce que les ouvriers ronflent et puent des pieds ! L'autre soir, elle en avait tellement marre qu'elle s'est sauvée. Jean l'a suivie. C'est comme ça qu'ils ont vu un combat aérien ! Jean m'a tout détaillé : au début, des faisceaux lumineux se sont agités dans tous les sens pour cibler un avion de chasse anglais. Puis un avion allemand, un stuka, est arrivé, il a foncé en piqué et a tiré avec ses mitrailleuses sur l'avion anglais, qui est devenu une boule de feu avant de s'écraser dans le bois de Parville. Drôlement impressionnant.

Jeudi 8 juin 1944

Bertrand, c'est autre chose. Comme ses parents ne veulent pas quitter leur boucherie à cause des pillards, il part tous les soirs à vélo avec sa grande sœur Claudine dans la vallée de l'Iton, où ils campent dans les galeries de la colline de La Bonneville.

J'aimerais bien partir avec eux. Ça doit être marrant. Apparemment, ils se font plein de copains. Claudine a même un amoureux et ils profitent de l'absence de leurs

parents pour se bécoter ! Claudine, c'est une belle fille très coquette. La dernière fois que je l'ai vue, elle avait dessiné un grand trait noir sur l'arrière de ses jambes : toutes les femmes font ça pour faire croire qu'elles portent des bas car on n'en trouve plus nulle part !

Vendredi 9 juin 1944

Plus ça mitraille, plus les gens déguerpissent... Mais Papa hésite encore : il veut être sûr que c'est vraiment le débarquement. Tout à l'heure, j'ai vu la famille de Marie-Anne s'en aller. Ils vont à Tourneville, où son père a fait construire une baraque. Ils sont partis à vélo. Il fallait voir l'équipage ! Marie-Anne avait pris sa sœur Martine sur le porte-bagages et le

petit frère était dans une carriole tirée par le vélo de leur mère. Pauvre Marie-Anne! Elle n'était pas très contente de quitter sa maison pour une bicoque où ils vont vivre entassés... Le pire, c'est qu'ils devront faire leurs besoins au fond du jardin, en creusant un trou et en le recouvrant de terre.

Samedi 10 juin 1944

Le débarquement a vraiment eu lieu, c'est officiel! « Radio Londres » l'a annoncé et, cette fois, ce n'était pas avec un message codé. Les Américains, les Anglais et les Canadiens sont arrivés sur les plages de Normandie. Ça paraît fou, parce qu'il y a toujours plein de Boches ici et que je n'ai encore jamais croisé un seul Allié. Mais cette nuit, il y a eu plein de bombardements. Le collège a été presque entièrement démoli, alors on n'a pas eu cours ce matin. Et on risque de ne pas y retourner avant la rentrée. Papa et Maman sont décidés à quitter Évreux. On va aller chez tante Élisabeth, qui a trouvé refuge au château des Rufflets, à une quarantaine de kilomètres d'ici. Je suis bien content de retrouver mes cousines, Henriette et Maryvonne!

Dimanche 11 juin 1944

Ce matin de bonne heure, on s'est entassés avec nos valises et nos kilos de patates dans une voiture à cheval empruntée aux Latour. Comme il n'y a plus d'essence nulle part, c'est tout ce que Papa a trouvé. Le trajet a été horrible : neuf heures pour faire trente-cinq kilomètres ! Entre les petites routes, où on était secoués comme des pruneaux, et les alertes, ça n'a pas été drôle. Dès qu'on entendait le grondement des avions, on devait tous sauter de la carriole et c'était la panique. Mais quand on est arrivés chez tante Élisabeth, ça a été une sacrée surprise : le château où elle a été recueillie a été transformé en hôpital militaire !

On nous a installés à la cave, parce que les étages sont occupés par des soldats canadiens. Quant aux salons du rez-de-chaussée, ils ont été transformés en dortoir pour les blessés. Ce n'est pas le luxe, mais au moins on est en

sécurité ici : non seulement, on ne risque pas de croiser des troupes de soldats ou des blindés allemands au milieu de cette forêt, mais en plus on est protégés des attaques aériennes par les immenses croix rouges peintes sur le toit (enfin, pourvu que les avions les respectent et ne nous tirent pas dessus).

Lundi 12 juin 1944

Avec mes cousines, on s'amuse bien, sauf quand tante Élisabeth nous gronde : il y a des blessés très graves, donc il ne faut pas faire de bruit. On ne doit pas non plus aller se balader au fond du parc, là où se trouvent les tombes toutes fraîches.

Samedi 17 juin 1944

J'ai enfin vu des Américains ! Ils logent avec des Canadiens dans les étages du château. Ils sont jeunes, grands, et ils mâchouillent tout le temps une sorte de pâte qu'on appelle du chewing-gum. Je les trouve très beaux ! J'ai même vu un Noir qui conduisait une voiture sans toit, une Jeep, comme ils disent.

Cet après-midi avec Henriette et Michel, on a été leur proposer des œufs du poulailler. En échange, ils nous ont donné des barres de chocolat et aussi leurs drôles de chewing-gums! J'en ai mangé un pour la première fois. Ça fait tout frais, puis ça devient tout mou. J'ai trouvé ça drôlement bon, mais c'est bizarre parce qu'il faut les recracher quand ils n'ont plus de goût!

Mercredi 16 août 1944

Tout à l'heure, j'ai reçu des nouvelles de Marie-Anne: son papa a eu un terrible accident la semaine dernière. Comme chaque fois qu'il y a du grabuge quelque part, il est parti sur sa moto avec sa trousse de secours et une infirmière sur le porte-bagages. Mais il s'est fait tirer dessus en rase campagne. Sa moto s'est renversée puis s'est enflammée. Il était coincé dessous. Heureusement, l'infirmière a réussi à

le sortir de là et à arrêter une voiture d'Allemands qui les a conduits illico à l'hôpital (preuve que tous les Boches ne sont pas inhumains). Il paraît qu'il était tellement brûlé que son visage était tout noir. Il a perdu un œil et est devenu presque sourd… C'est un vrai héros, même s'il ne s'est jamais battu sur le front.

Jeudi 24 août 1944

On vient d'apprendre que les troupes américaines ont libéré Évreux ! Enfin les Allemands ont déguerpi ! On peut retourner chez nous sans danger. On était bien dans notre coin perdu, mais je suis quand même super content de rentrer à la maison.

Vendredi 25 août 1944

Des milliers de bombes américaines sont tombées sur Évreux, mais aucune n'a atterri chez nous !

C'est miraculeux, comme dirait Mamé. Surtout que toute la ville est en ruines : le bas de la rue de Paris, la rue Jean-Jaurès, la rue de Pannette, le quartier de la gare, tout est ravagé… Malgré cela, les gens sont heureux, la joie est partout !

Mamé m'a accompagné jusqu'au centre-ville, enfin ce qu'il en reste. Quelle foule ! Tout le monde s'embrassait, les dames portaient des rubans bleu-blanc-rouge dans les cheveux ou noués autour du cou, et moi, j'agitais mon petit drapeau tricolore.

Mais il y avait une telle cohue que je n'ai pas pu aller serrer la main des Américains. Mamé avait trop peur que je sois étouffé.

Dimanche 27 août 1944

Ce matin, on a été à la messe, qui se tient dans le jardin de la cathédrale. C'est comme ça depuis les derniers bombardements. Tout le monde redoute des éboulements. Au moment du sermon, monsieur le curé nous a annoncé que Paris avait été libérée il y a deux jours. On a tous applaudi ! Quel bonheur !

Mercredi 4 octobre 1944

L'été n'a pas été si facile. Évreux a été libérée, pourtant ça ne veut pas dire que la guerre est finie. Il n'y a plus d'Allemands ni de bombardements, mais on utilise toujours des tickets d'alimentation.

Je suis en quatrième, et ça a été une drôle de rentrée. Maman m'a interdit d'emprunter la passerelle qui franchit la voie de chemin de fer pour aller au collège. Elle est tellement délabrée qu'elle pourrait s'effondrer. Alors j'ai dû faire tout un détour qui m'a fait passer devant les gravats de la maison de mademoiselle Richardot. Mon cœur s'est serré. C'était ma maîtresse de onzième*. Personne ne sait ce qu'elle est devenue. Est-elle toujours sous les décombres ?

Notre collège n'a pas encore été reconstruit et on fait cours dans des baraquements sans chauffage. Des professeurs sont morts, et certains de nos copains ne sont pas revenus… Je ne sais pas ce qui leur est arrivé.

Dimanche 8 octobre 1944

Après le petit-déjeuner, on a installé notre drapeau bleu-blanc-rouge à la fenêtre du premier étage, puis on a enfilé nos habits du dimanche que Jeannette avait repassés encore plus soigneusement que d'habitude.

---

* Classe qui correspond au CP.

Tous ensemble, on est allés place de la Mairie. Le long du chemin, on a vu des drapeaux français avec la Croix de Lorraine*, des drapeaux anglais et américains. Il y avait déjà un monde fou devant la mairie.

Tout Évreux est venu assister à la grande cérémonie organisée en l'honneur du général de Gaulle. Grâce à lui, des gens ont décidé de résister à l'occupant et ont pu préparer la victoire des Alliés, m'a expliqué Papa. Le général a fait un grand discours, en encourageant chacun à reconstruire tout ce qui a été détruit. Ça va prendre du temps...

Samedi 11 novembre 1944

J'ai treize ans aujourd'hui. Enfin la guerre n'est plus là pour gâcher mon anniversaire ! Et on célèbre de nouveau l'armistice de la guerre de 14. Depuis quatre ans, c'était interdit.

Chacun semble heureux de montrer sa fierté d'être Français. Papa aurait bien voulu aller à Paris pour assister aux cérémonies qui vont être formidables. Le général de Gaulle sera là avec le général Leclerc**, et même Winston Churchill, le Premier ministre des Anglais, très courageux, lui aussi.

---

* La Croix de Lorraine est l'emblème de la France Libre, le mouvement de Résistance fondé à Londres par le général de Gaulle.
** Le général Leclerc était l'un des chefs importants de la France Libre.

Samedi 25 novembre 1944

Ce matin avant l'appel, le surveillant général est venu dans notre classe. J'avais peur qu'il nous fiche une colle pour le chahut d'hier pendant le cours de gym, mais en fait il nous a annoncé que Christian ne viendrait pas parce que son père vient de mourir de ses blessures. Il participait avec le général Leclerc à la libération de Strasbourg et son char a reçu une bombe. Pauvre Christian, il n'aura pas beaucoup connu son papa.

Ici, on se plaint toujours des restrictions parce que ça reste bien difficile de trouver de quoi manger ou s'habiller, mais la mort du père de Christian nous rappelle que la guerre n'est pas finie partout.

Lundi 25 décembre 1944

Premier Noël sans les Boches !

Michel et moi, nous avons installé nos chaussures devant la cheminée pour que le petit Jésus vienne y placer les cadeaux. Enfin... c'est ce qu'on a raconté à Françoise !

Je me doute qu'on n'aura pas encore de beaux jouets cette année : ce n'est pas grave, parce que le plus important c'est qu'on soit tous vivants.

On va pouvoir assiter en famille à la messe qui aura vraiment lieu à minuit !

Mercredi 21 mars 1945

C'est le printemps ! Demain, Marie-Anne va venir m'aider au potager. Les étals de la mère Madeline ne sont pas très fournis, alors je continue mes plantations.

Mardi 8 mai 1945

Cette fois, la guerre est finie pour de bon ! La semaine dernière, on a appris qu'Hitler s'était suicidé à Berlin, et que les Allemands ont reconnu leur défaite. Il y a encore des Japonais qui se battent dans l'océan Pacifique, mais c'est très loin d'ici l'océan Pacifique.

Comme nous dit notre professeur : « Maintenant, il faut construire la paix. »

Épilogue

La fin du conflit en Europe ne signifie pas que la guerre est terminée. Le 15 août 1945, deux bombes atomiques américaines anéantissent les villes japonaises d'Hiroshima et de Nagasaki. Le 2 septembre 1945, l'empereur du Japon accepte sa défaite. La Seconde Guerre mondiale s'achève enfin.

Avec la paix, la vie reprend ses droits, mais les privations durent encore quelques années : les cartes de rationnement avec leurs tickets d'alimentation, de textile ou de tabac sont distribuées jusqu'en 1949.

Henri, Michel et Françoise retrouvent le chemin de l'école dans des conditions parfois difficiles : Henri se souvient d'avoir eu classe dans un bâtiment dont les portes, soufflées par les bombes, avaient été remplacées par de simples couvertures !

La ville d'Évreux se reconstruit peu à peu. Dans la rue Victor-Hugo, notre maison est réparée et ses dépendances restaurées. Elle s'anime bientôt des jeux de trois autres enfants : moi et mes deux frères, Jean-Eudes et Étienne !

Aujourd'hui, je continue à prendre soin de cette maison qui nous est si chère et où vivent tant de souvenirs.

Gertrude Dordor

NOTRE ALBUM DE FAMILLE

Henri et Michel à Évreux,
quelques années avant
la guerre.

Mamé, Michel, Françoise, Henri, Henriette et
tante Élisabeth avec Maryvonne dans les bras,
à Poitiers, pendant la débâcle (juin 1940).

Notre maison après les bombardements
de juin 1940.

Henri, Françoise et Michel
dans notre jardin (août 1942).

Une carte de rationnement
pour l'achat de vêtements.

Une carte d'alimentation
pour l'achat de pain, de farine
ou de pâtes.

Feuille valable du
18 Novembre 1940 au 31 Décembre 1940 inclus

1	**PAIN ou FARINE** Pour l'achat de la FARINE, 100 grammes de pain valent 80 grammes de farine ou 100 grammes de pâtes alimentaires fraîches.				**E**
N° 21792					

100 grammes	100 grammes	100 grammes	100 grammes	100 grammes	100 grammes
100 grammes	100 grammes	100 grammes	100 grammes	100 grammes	100 grammes
100 grammes	100 grammes	100 grammes	100 grammes	100 grammes	50 grammes
100 grammes	100 grammes	100 grammes	100 grammes	100 grammes	50 grammes
100 grammes	100 grammes	100 grammes	100 grammes	100 grammes	50 grammes
100 grammes	100 grammes	100 grammes	100 grammes	100 grammes	50 grammes
100 grammes	100 grammes	100 grammes	100 grammes	100 grammes	50 grammes

La carte nationale de priorité
de Maman, qui donnait
un accès prioritaire aux
rationnements.

Bruno dans les bras
de notre mère (1943).

La carte de la Croix-Rouge
qui annonce à Maman que
notre père a été fait prisonnier
en février 1941.

Bruno à 11 mois
dans son landau.

Notre père, avec Bruno dans ses bras, Michel, Henri et Françoise (juillet 1943).

Henri, Françoise, Michel, Henriette et Maryvonne au château des Rufflets (juin 1944).

La corvée d'eau au château des Rufflets avec Henri, Maryvonne et Marie-Hélène (notre petite cousine), Michel, Bruno, Françoise et Henriette.

1940

• 10 MAI AU 22 JUIN
Les Allemands envahissent la Belgique, le Luxembourg, les Pays-Bas, le Nord et l'Est de la France. Les populations fuient vers le Sud.

• 9 JUIN
Les Allemands bombardent Évreux.

• 18 JUIN
Le général de Gaulle, à la tête de la France Libre, lance un appel à la Résistance depuis Londres.

• 22 JUIN
La France signe l'armistice avec l'Allemagne. Le Royaume-Uni poursuit seul le combat.

• À PARTIR DU 26 JUIN
La France est divisée en deux zones : la zone non occupée (au Sud) et la zone occupée par les Allemands (au Nord). Elles sont séparées par la ligne de démarcation.

Le gouvernement français s'installe dans la zone non occupée, à Vichy. Le maréchal Pétain a les pleins pouvoirs et collabore avec l'Allemagne.

• 27 SEPTEMBRE
L'Allemagne, l'Italie et le Japon signent un pacte d'alliance : c'est l'Axe.

1939

1ER SEPTEMBRE
Les Allemands envahissent la Pologne.

3 SEPTEMBRE
Les alliés de la Pologne, la France et le Royaume-Uni, ripostent et déclarent la guerre à l'Allemagne.

SEPTEMBRE À MAI 1940
La guerre est déclarée, mais aucun combat n'a lieu sur le territoire français. Cette longue attente est appelée la « drôle de guerre ».